Mes pArents sont Gentils MAis...

TELLEMENT MALADROÍTS !

Catalogage avant publication de Bibliothèque et Archives nationales
du Québec et Bibliothèque et Archives Canada

Bergeron, Diane, 1964-

Mes parents sont gentils mais... tellement maladroits!

(Mes parents sont gentils mais... ; 3)
Pour les jeunes de 10 ans et plus.

ISBN 978-2-89591-042-8

I. Rousseau, May, 1957-   . II. Titre. III. Collection.

PS8553.E674M47 2007   jC843'.6   C2007-940890-7
PS9553.E674M47 2007

Correction et révision: Christine Deschênes

Tous droits réservés
Dépôts légaux: 3e trimestre 2007
Bibliothèque nationale du Québec
Bibliothèque nationale du Canada

ISBN : 978-2-89591-042-8

© 2007 Les éditions FouLire inc.
4339, rue des Bécassines
Québec (Québec) G1G 1V5
CANADA
Téléphone: (418) 628-4029
Sans frais depuis l'Amérique du Nord: 1 877 628-4029
Télécopie: (418) 628-4801
info@foulire.com

Les éditions FouLire remercient la Société de développement des entreprises
culturelles du Québec (SODEC) pour son aide à l'édition et à la promotion.

Gouvernement du Québec – Programme de crédit d'impôt pour l'édition de
livres – gestion SODEC.

Les éditions FouLire remercient également le Conseil des Arts du Canada de
l'aide accordée à leur programme de publication.

100%

Imprimé avec de l'encre végétale sur du papier Rolland Enviro 100, contenant 100%
de fibres recyclées postconsommation, certifié Éco-Logo, procédé sans chlore et
fabriqué à partir d'énergie biogaz.

IMPRIMÉ AU CANADA/PRINTED IN CANADA

DIANE BERGERON

Mes parents sont gentils mais...

TELLEMENT MALADROITS !

Illustrations
May Rousseau

Roman

À tous les maladroits du monde,
y compris moi… parfois!

Ils naissent pour la perfection
Puis se confondent et s'aplatissent
Pourtant une simple maladresse
Donne sa grandeur à l'émotion
Et fait d'une vie, une épopée.

(Maladresse, de Pirouette)

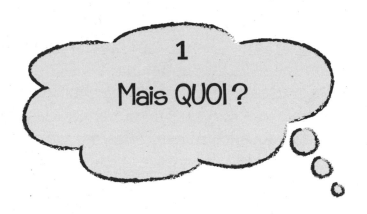

1
Mais QUOI ?

Jeudi, dernier cours de l'après-midi. Je suis passée sans trop de difficultés au travers de ma première semaine dans ma nouvelle école. Je dois avouer que j'avais vraiment peur de changer d'école en plein mois d'octobre. Finalement, j'ai réalisé que ce déménagement était ce qui pouvait m'arriver de mieux. Ici, PERSONNE ne me connaît et je me suis même fait un ami, Thomas. Tout allait pour le mieux jusqu'au deuxième cours d'enseignement moral de la semaine.

– Isabelle Tremblay ?

– Présente !

Madame Giroux-Lanouette, surnommée «La Girouette» par les élèves des années précédentes, s'avance comme un train vers moi, sans se soucier des sacs d'école qui encombrent l'allée, des pieds qu'elle écrase au passage et des cahiers qui s'envolent. Ses yeux étincellent d'une lueur inquiétante. Une rumeur court selon laquelle elle aurait été victime d'épuisement professionnel à la fin de l'année dernière. À la voir, la situation ne s'est pas beaucoup améliorée.

– Puis-je savoir, mademoiselle Tremblay, pourquoi vous m'avez remis un travail incomplet? Est-ce que mes quatre petites questions étaient trop longues pour y répondre?

Je fige de surprise en essayant de me rappeler en quoi consistait le travail en question. Ah oui! Je devais me présenter, donner une de mes qualités, un défaut et parler de ma famille. Trop facile! Qu'avais-je bien pu oublier de si important?

– Répondez, mademoiselle !

Madame Giroux-Lanouette me lance un regard impitoyable, longuement exercé sans doute pour faire fondre la plus infime résistance chez ses élèves. Ne voulant surtout pas me la mettre à dos, je réponds avec mon air le plus innocent :

– Euh… je suis désolée, madame Giroux-Lanouette, mais j'avais l'impression d'avoir terminé.

Elle prend les autres élèves à témoin :

– Bien sûr que vous aviez l'impression d'avoir terminé ! Vous, les élèves, vous ne pensez qu'à vous amuser, à faire le minimum d'efforts, pour avoir la note de passage à la fin de l'année. Pourquoi s'échiner pour un insignifiant cours d'enseignement moral, n'est-ce pas ?

De plus en plus intimidée, je bafouille :

– Non, madame, je ne pense pas cela de votre cours…

– Ah NON ? explose-t-elle en brandissant sous mon nez ma copie barbouillée d'un long commentaire en rouge. Avant que j'aie le temps de lire, elle retire la feuille. Puis elle m'explique, d'une voix faussement mielleuse :

– Ici, à la question quatre, vous deviez donner une qualité et un défaut de vos parents. Vous avez écrit : «Mes parents sont gentils, mais», et vous avez laissé trois points de suspension. Mais quoi ?

Je ne réponds pas.

– Vous savez, mademoiselle, nous aimons tous nos parents. Pourtant, il faut savoir les voir comme ils sont vraiment, avec leurs qualités et leurs défauts. Il faut les descendre de leur piédestal, ce ne sont pas des statues. Accepter que nos parents aient des défauts permet d'admettre que, nous aussi, nous en avons, que personne n'est parfait. Par exemple, Lydie a écrit que ses parents regardent toujours par-dessus son épaule pendant qu'elle clavarde. Jacob déplore que les siens soient toujours absents, et Judith dit que sa mère s'habille comme une jeune fille de quinze ans et qu'elle lui emprunte même ses vêtements. Vos parents doivent bien avoir un défaut, ne serait-ce qu'un tout petit?

Je ne réponds toujours pas. Les élèves pointés du doigt rapetissent sur leur chaise, horriblement gênés. Je sens déjà que je ne me ferai pas d'amis parmi eux. Qu'importe! Je serre les dents à m'en faire mal aux mâchoires. Si elle pense que je vais lui dire...

– Quel est le défaut de vos parents? Ils en ont un, tout le monde a un défaut... Que veut dire ce: «Mes parents sont gentils, mais...» Allez, dites-le! MAIS QUOI?

Le ton de sa voix monte de plus en plus. On dirait une soprano colorature qui tente de faire éclater les vitres en chantant. Elle est si proche de moi que je peux voir son double menton qui tremblote comme du *Jello*, ses paupières qui débordent sur ses yeux gris délavé et ses sourcils noirs qui se rejoignent au milieu du front, plissé par une barre verticale.

– Un MAIS, ce n'est pas un défaut, continue-t-elle en postillonnant. C'est une conjonction de coordination, qui appelle un complément de phrase, habituellement contraire à ce qui précède. Vous allez me dire que nous ne sommes pas dans une classe de français, et vous avez raison. Je vais donc vous dire ce que signifie ce MAIS en enseignement moral. Ce MAIS, c'est une tentative de votre part de jouer à l'autruche en vous cachant la tête dans le sable. C'est un acte de résistance, une preuve que vous voulez tromper quelqu'un. C'est grave, c'est même très grave. Que veut-il dire, ce MAIS, mademoiselle Tremblay?

Je frissonne en fermant les yeux. J'ai l'impression de vivre un cauchemar. Toute la classe est étrangement silencieuse, le temps semble figé, comme lorsqu'on attend le coup de tonnerre qui suit l'éclair foudroyant, ou que le chat saute sur l'innocent moineau qui constituera son déjeuner. Je jette un coup d'œil à Thomas, qui me regarde avec un air horrifié. J'entends une fille renifler derrière moi. J'imagine que c'est ce que La Girouette voudrait, me voir pleurer, ou même trembler, mais ce n'est pas parce que je porte ce nom que je vais lui concéder aussi facilement la victoire.

– Alors, cette réponse, mademoiselle?

Je n'en ai pas à lui donner parce que cela ne la regarde pas, parce que c'est mon secret, parce que personne ici ne doit savoir. C'est une question de survie!

– Vous me décevez beaucoup, mademoiselle Tremblay. Je vous envoie au bureau du surveillant. Ne revenez que lorsque vous serez prête à me donner une réponse satisfaisante. Et je fais cela pour votre bien, n'en doutez jamais. Allez, sortez!

À la maison, maman m'accueille avec deux baisers sonores sur les joues. Puis, après m'avoir scrutée longuement, elle déclare:

– Tu sembles bien songeuse, ma chouette.

– Euh... je crois que je fais une migraine. Je vais monter me coucher.

– As-tu eu des problèmes avec tes compagnons de classe? Ou avec tes professeurs?

Je me demande bien pourquoi elle dit cela. La Girouette lui aurait-elle déjà téléphoné? Je marmonne un «Non! non!» en me prenant la tête à deux mains, pour mettre un terme à cet interrogatoire. Elle me tend un comprimé d'analgésique en disant:

– Est-ce que je te sers un verre d'eau ou un verre de lait?

– NON! euh... non, maman, je vais le faire moi-mêmes.

Ma mère, serviable comme toutes les mères de la terre, se précipite quand même vers le réfrigérateur, d'où elle sort le contenant de lait. Pendant qu'elle m'en verse un verre, mon père arrive et lui demande à quelle heure elle doit partir pour son cours de peinture.

Je crie :

– NON, maman ! Ne réponds pas !

Trop tard ! Ma mère amorce le mouvement pour regarder la montre à son poignet. Le verre de lait qu'elle tient dans la même main se renverse sur le plancher en éclaboussant les armoires, le réfrigérateur et la cuisinière. Je laisse échapper un soupir exaspéré avant de courir me réfugier dans ma chambre. En montant l'escalier, j'entends mon père dire à ma mère :

– Ce n'est pas grave, nous allons essuyer. Au moins, personne n'est blessé.

Ce n'est pas grave ! CE N'EST PAS GRAVE ? Non, pour n'importe qui, ce n'est pas grave de renverser un verre de lait. Ce sont de petites maladresses sans importance qui font partie de la vie. On essuie et on n'en reparle plus.

Toutefois, dans le cas de mes parents, c'est un problème CHRONIQUE. À eux deux, ils possèdent le record Guinness des verres renversés! À eux deux, ils auraient pu remplir une piscine olympique de lait, de café et de jus renversés. Mais ce n'est pas grave, ils sont GENTILS...

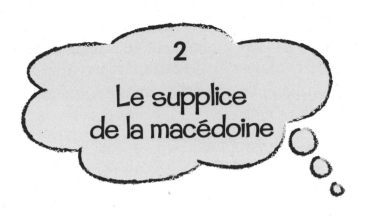

2
Le supplice
de la macédoine

J'ouvre les yeux. Une lumière éblouis-
sante me les fait aussitôt refermer.
La douleur me vrille le cerveau. Ce doit
être la migraine. Un bruit métallique
près de ma tête m'oblige pourtant à
regarder. Quelqu'un se tient debout
près de mon lit, quelqu'un que je ne
reconnais pas. Effrayée, j'essaie de
me lever, mais c'est impossible, car je
suis attachée solidement aux poignets
et aux chevilles. L'intense lumière
m'empêche de voir autre chose que
mon lit sur lequel je suis ficelée et
cette inconnue, une femme en blouse
blanche.

– Ah! mademoiselle Tremblay, vous voilà enfin de retour! Nous allons continuer ce que nous avons commencé tout à l'heure...

Cette voix nasillarde et faussement mielleuse... Je la reconnais! C'est celle de... La Girouette!

– Pourquoi suis-je attachée?

– C'est ce qui arrive à ceux qui cachent la vérité, mademoiselle Tremblay. La vérité, c'est ce qu'il y a de plus vrai dans la vie, n'est-ce pas?

Elle approche un objet brillant de ma main. Un compas, horriblement pointu. Je tente de dégager ma main, mais les liens m'en empêchent. La panique me fait hurler:

– NOOOON! Vous n'avez pas le droit!

Madame Giroux-Lanouette retire le compas et le regarde en soupirant, puis elle le dépose sur un petit guéridon où se trouve une collection d'objets hétéroclites : scalpel, pinces, appareils dentaires, aiguilles à tricoter, scie, marteau, contenants d'acide, verre de lait, tronçonneuse... En hochant la tête, elle dit :

– Bien sûr, vous avez raison, ce n'est pas un cours de mathématique, ici. Pas de compas, dans ce cas.

Elle choisit un crayon à mine et me le montre, comme si elle cherchait à obtenir mon approbation. Je secoue vivement la tête. Elle me regarde, déçue :

– Vous ne me facilitez pas la tâche, mademoiselle Tremblay. Il faut pourtant un crayon à mine pour écrire dans le cours d'enseignement moral.

Je commence à comprendre son petit jeu de fou. J'observe rapidement son plateau d'instruments de torture et lui dis :

– NON, moi, j'utilise toujours un stylo à encre gel rose. Vous devriez essayer, cela écrit mieux et avec beaucoup moins d'effort.

Elle semble vraiment contrariée. Il n'y a pas de stylo à encre gel sur son plateau, ni rose ni d'aucune autre couleur. Je pousse un soupir de soulagement. Son regard se durcit :

– C'est vrai que vous, les jeunes, vous choisissez toujours ce qui demande le moins d'effort. C'est le mal du siècle. Dans mon temps, on travaillait fort et on n'attendait pas que tout nous tombe tout cuit dans le bec. Aaaahhh! parlant de bec, j'ai ce qu'il faut. Vous allez aimer.

J'en doute fort. Pendant qu'elle se penche sous mon lit en faisant craquer toutes ses articulations, j'essaie de trouver un moyen de m'échapper. Impossible, je suis solidement attachée. Et si je criais? Non, les murs sont insonorisés avec des matelas qui ressemblent étrangement à ceux du gymnase de l'école. Je suis faite comme un rat. Pauvre petit rat de moi! Je sens une grosse boule monter dans ma gorge et mes yeux se mettent à picoter. Ah non! je ne pleurerai pas! Pas devant La Girouette...

En peinant, mon bourreau tire de sous le lit une énorme boîte de carton portant la mention MACÉDOINE DE LÉGUMES EN CONSERVE, 36 BOÎTES. Je me mets à trembler: non, ce n'est pas possible! Je tire sur mes liens de toutes mes forces pendant que j'entends le bruit de l'ouvre-boîte automatique. Une odeur atroce envahit la pièce. En grimaçant un sourire, La Girouette approche de ma bouche une cuillère pleine du dégoûtant mélange de patates et carottes en cubes, petits pois, fèves vertes et gourganes, le tout décoloré, délavé et totalement insipide. Je sens mon cœur se soulever. Elle éloigne la cuillère et me demande de sa voix mielleuse :

– Mais QUOI ? Mes parents sont gentils, mais QUOI ?

Mes lèvres restent désespérément fermées sur mon secret. La cuillère reprend son approche. Soudain, La Girouette me pince le nez et lorsque, à bout d'air, j'ouvre grande la bouche pour respirer, elle y enfourne prestement une énorme portion de macédoine de légumes. TRAÎTRESSE !

Étouffant, crachant, écumant, je la supplie :

– Arrêtez, je ne peux pas supporter cette torture. Je vais tout vous dire. Mes parents... mes parents sont gentils, mais ils sont aussi tellement...

– Isabelle, réveille-toi! C'est vendredi: dernier jour d'école!

Pendant que ma mère écarte vivement les rideaux pour laisser entrer la lumière, je m'assois sur le lit. La tête me tourne un peu et j'ai la bouche pâteuse. Je suis soulagée, ce n'était qu'un cauchemar, mais j'aurais tout de même préféré qu'on soit samedi...

– Ta migraine est finalement passée? demande ma mère.

– Euh... oui, je crois. Maman, dis-moi, tu n'as pas acheté d'autre macédoine de légumes, n'est-ce pas?

– Pauvre chouette, tu sais bien que je déteste cela autant que toi! La dernière fois, c'était une maladresse de ma part. Je voulais acheter une caisse de petits pois. Mais tu me connais, je ne peux pas supporter le gaspillage. Maintenant, lève-toi et va prendre une bonne douche.

– Oui, tu as raison. Oh! as-tu lavé mon chandail noir?

– Euh… le tout noir ou celui avec des taches blanches?

– Je n'ai qu'un chandail noir, maman, et il est tout noir, seulement noir. Un vrai noir foncé, pas de taches blanches…

– OUPS! Désolée! C'est que… il était au fond de la laveuse… avec une brassée de chaussettes blanches. Alors, j'ai mis…

– Pas de l'eau de JAVEL? Maman, dis-moi que tu n'as pas fait ça? C'était mon chandail préféré!

– Ce n'est pas grave, ma chouette, ce n'est pas grave. Personne n'est blessé, au moins!

Je déteste quand elle dit cela, et elle le dit chaque fois qu'elle fait une maladresse. Cette phrase pourrait aussi faire partie du *Livre Guinness des records*.

Oui, bien sûr que je les aime mes parents. Ils sont gentils, mais tellement... MALADROITS!!! Mais je ne le dirai à personne. Et surtout pas à La Girouette. Jamais!

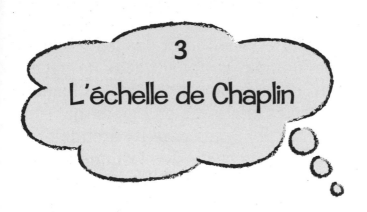

3
L'échelle de Chaplin

Oh oui! mes parents sont maladroits! Tous les deux. Ma mère est la reine du «OUPS! Désolée!» et mon père, c'est le virtuose du «Ce n'est pas grave, personne n'est blessé!» Et parfois, ils s'échangent leur petite phrase d'excuse, avec un sourire complice…

Ils sont maladroits depuis qu'ils sont nés. Je me rappelle les longues soirées d'hiver où, au lieu de regarder la télé comme tout le monde, ils me racontaient leurs folles maladresses de jeunesse. Je riais. Dans ce temps-là, ces soirées étaient mes préférées.

J'étais assise, tantôt sur les genoux de maman, tantôt sur ceux de papa, enveloppée dans ma doudou. Chaque fois, les histoires changeaient. Par précaution, mes parents étendaient une grande bâche de plastique sur le tapis parce qu'il y avait invariablement un gros dégât de maïs soufflé et de jus. Et je riais. Que j'étais naïve à l'époque !

Ils avaient à leur actif un nombre incroyable et très varié de maladresses, suffisamment pour remplir une encyclopédie en plusieurs tomes. Pour mettre du piquant dans nos soirées, ils avaient effectué une classification par thèmes, par saisons, par ordre alphabétique... Ils avaient même inventé une échelle de gradation, comme il en existe pour les tremblements de terre, pour les ouragans, pour la vitesse des vents... Ils l'appelaient l'échelle de Chaplin, en l'honneur de leur acteur préféré, Charlie Chaplin. Sauf que Charlie

Chaplin, il faisait exprès, lui, de commettre des maladresses pour faire rire son public. Eux, ils sont maladroits, involontairement, dans toutes les fibres de leur corps.

Je me souviens d'un certain soir où mes parents m'avaient offert en rafale «le nec plus ultra» de leurs maladresses.

– C'était il y a trois ans… commence ma mère.

– Non, deux ans, rectifie mon père. Je m'en souviens, je venais de t'offrir le IPod que tu désirais tant pour Noël.

– Oui, mon chéri, tu as raison. Ah! ce IPod! Quel objet de malheur!

– Un objet de malheur? demandai-je, surprise. Voyons, maman, qu'est-ce que tu racontes?

– Aujourd'hui, répond mon père, on les voit partout, ces petits lecteurs MP3 mais, il y a quelques années, c'était tout nouveau et leur allure était plutôt futuriste!

– Charles, c'est ma pire gaffe, alors veux-tu bien me la laisser raconter, insiste ma mère, un tantinet frustrée.

Je m'installe sur ses genoux et m'entoure de ma couverture.

– Je t'écoute, moi, maman!

– Voilà. Il y a deux ans environ, j'ai fait un voyage en Californie pour rencontrer des clients. Je suis donc montée dans l'avion et, au bout d'une heure ou deux, je me lève pour aller aux toilettes. Tu sais comme moi à quel point c'est petit, une toilette d'avion. Quelques minutes plus tard – j'étais retournée à mon siège –, le pilote annonce que, pour des raisons de sécurité, il devra atterrir à l'aéroport le plus proche. La panique s'empare aussitôt des passagers qui regardent par les hublots pour voir si un des moteurs ne serait pas en flammes. Rassurés, nous commençons à nous dévisager les uns les autres, imaginant que notre voisin est peut-être un terroriste.

– As-tu vu des terroristes? Est-ce qu'on t'a prise en otage?

– Presque... tu vas voir! Une fois l'avion atterri, le pilote demande aux passagers de sortir de l'appareil et de n'emporter que leurs effets personnels. Je tâte dans ma poche de veste et ne trouve pas mon IPod. Je me dis alors que j'ai dû le mettre dans mon manteau. Je me fais un peu bousculer par l'agente de bord parce que je retarde tout le monde. À peine ai-je mis le pied dehors qu'un agent de sécurité me prend solidement par le bras. Je lui dis:

«Merci, mais occupez-vous plutôt des personnes âgées.

«Madame, vous devez me suivre à l'intérieur.

Il me montre l'arme qu'il porte à la ceinture et me serre le bras encore plus fort. J'ai le temps de remarquer que je suis la seule à être ainsi escortée. Tous les autres passagers me regardent avec un drôle d'air. Une femme en particulier me montre du doigt à un autre agent, en faisant de grands signes avec sa tête. Il y a sûrement erreur sur la personne. Je ne vois pas ce que j'ai fait pour mériter un pareil traitement. L'agent m'installe dans une minuscule salle à l'intérieur de l'aérogare, où il me laisse mariner pendant au moins une heure, sans répondre à mes questions. Enfin, deux agents et un policier entrent dans la pièce. Ils n'ont vraiment pas l'air de bonne humeur.

« Madame, vous savez que ce que vous venez de faire peut vous coûter très, très cher ?

« Mais qu'est-ce que j'ai fait ?

« Vous êtes bien allée à la toilette située à l'arrière de l'avion, côté gauche, entre 12 heures 50 et 13 heures ?

Je me dis qu'ils ont du temps à perdre s'ils engagent quelqu'un pour surveiller nos allées et venues aux toilettes. Peut-être ai-je oublié d'actionner la chasse d'eau ?

« Euh… oui, j'y suis allée, mais je ne pourrais pas vous dire quelle heure il était. Ah oui ! C'était environ dix minutes avant que le pilote annonce qu'on devait atterrir d'urgence. Au fait, que s'est-il passé ?

« Reconnaissez-vous cet objet ?

Il me montre un sac de plastique transparent contenant une série de pièces électroniques démontées. Une de celles-ci porte mon nom, gravé. Je reconnais les restes de mon cadeau de Noël...

« Mon IPod ! Vous l'avez trouvé ! Mais qui l'a mis dans cet état ?

« Quelqu'un qui croyait que c'était une commande à distance pour actionner... disons... une bombe ?

« Qui a pu être aussi idiot pour penser une chose pareille ? »

Le silence se fait autour de moi. On aurait pu entendre jouer mon IPod s'il avait été en état de le faire. Je relève la tête et je rencontre trois paires d'yeux très, très hostiles. OUPS ! Je crois que j'aurais dû me taire...

– Et qu'est-ce qui s'est passé ensuite ? Pourquoi ton IPod était-il dans cet état ?

J'étais aussi excitée que si j'avais assisté au tournage d'un film du célèbre espion 007.

– Les policiers me racontent que, lorsque je suis sortie des toilettes, une autre personne y est entrée. C'est la femme qui m'a identifiée, et à qui j'ai écrasé le pied en sortant. Elle a trouvé mon IPod dans la cuvette des toilettes et, pensant que c'était une télécommande pour déclencher une bombe, elle a tout de suite averti l'agente de bord, qui a prévenu le pilote. Il a atterri à l'aéroport le plus proche, il a fait fouiller l'avion, les bagages et les passagers et on a procédé à mon interrogatoire.

– Ils t'ont fouillée, toi aussi ?

– Ah... oui, je ne t'en ai pas parlé ? Une fouille à nu... Très désagréable, tu peux me croire ! Mais ils m'ont finalement libérée. Cependant, je suis maintenant sur la liste noire de cette compagnie d'aviation et toutes les autres compagnies me font subir une fouille complète. Et interdiction d'avoir avec moi un objet électronique... Eh bien, ma chouette, que dis-tu de ma plus grosse gaffe ? Combien me donnes-tu sur l'échelle de Chaplin ?

– Un 9, au moins ! C'était très... maladroit ! Bravo !

À ce moment, j'ai pensé que ma mère aurait fait une parfaite espionne, avec des gadgets électroniques plein les poches et des policiers à ses trousses dans tous les aéroports du monde. En prime, un air angélique pour masquer ses mauvaises intentions. Aujourd'hui, je me dis qu'elle a tout simplement été pitoyable de laisser tomber son IPod tout neuf dans une toilette et surtout de ne pas s'en apercevoir. Moi, si j'avais un IPod, j'y ferais attention. Malheureusement pour moi, mes parents ne m'en offriront jamais. Pour eux, le IPod fait maintenant partie de l'Histoire, avec un grand H, et des objets à bannir.

Pourquoi mes parents se sont-ils rencontrés ? La nature a fait une grosse bêtise en les mettant sur le même chemin. Ils font certainement mentir le dicton qui dit que *les contraires s'attirent*. Ils sont pareils, mes parents, aussi rêveurs, aussi gauches l'un que l'autre. Leurs maladresses, elles sont toujours au carré.

Sa pire gaffe, mon père l'a commise le jour de son mariage. Je me rappelle très bien la première fois qu'il me l'a racontée.

– C'est le soir du 24 juin, la fête nationale des Québécois. On a fait un gros feu dans la cour arrière et les guimauves grillées sont tout simplement délicieuses. Le voisin vient de partir, après nous avoir prévenus de bien éteindre le feu. Il ne veut pas que sa maison flambe, comme c'est arrivé à un autre de nos voisins, un soir de grand feu et de grandes maladresses...

Lorsque tu te marieras, Isabelle, rappelle-toi toujours ceci : ne fais jamais confiance à ton nouvel époux.

– Voyons, Charles, ne dis pas cela ! rétorque ma mère. Le mariage est justement une question de confiance. Il s'agit seulement de faire preuve d'un peu de... prudence !

De plus en plus intriguée, je m'installe confortablement sur les genoux de mon père, qui commence à raconter son histoire :

– Une vieille tradition veut que le nouvel époux prenne son épouse dans ses bras pour lui faire traverser le seuil de sa demeure. J'ai donc soulevé ta mère – elle était légère comme une plume et moi beaucoup plus musclé qu'aujourd'hui! – et j'ai habilement poussé la porte du pied. Je l'ai alors embrassée…

– Charles, franchement! Tu vas lui faire croire que c'est moi qui t'ai fait perdre tes moyens…

– Donc, poursuit mon père en souriant, je m'apprêtais à franchir la porte lorsque quelqu'un a klaxonné dans la rue. Je me suis retourné vivement pour voir qui c'était, oubliant complètement le précieux poids plume que je tenais dans mes bras. Et là… CRAC!

– CRAC? Tu as cassé le cadre de porte?

– Crois-tu vraiment que de casser le cadre de porte m'aurait valu un 9,5 sur l'échelle de Chaplin? Ce que je te confie ce soir, Isabelle, c'est la plus grande maladresse de ma vie, une maladresse qui aurait pu faire que notre famille n'existe jamais!

– Oh! je vois! Le crac, c'était maman, alors!

– Son cou, pour être plus précis... Quand je me suis retourné, sa tête a heurté le cadre de porte. Nous avons passé notre nuit de noces à l'urgence, entre deux radiographies, la visite des médecins et l'interrogatoire des policiers qui pensaient que j'avais volontairement battu ma nouvelle épouse. Heureusement, rien n'était cassé. Elle s'en est tirée avec un collier cervical et un œil au beurre noir, qu'elle a portés comme des trophées tout au long de notre lune de miel.

– Des trophées, Charles, tu exagères! Qu'en dis-tu, Isabelle?

– Pauvre maman! Je crois qu'il n'a pas volé son 9,5.

J'étais jeune, je trouvais tout à fait merveilleux que mes parents s'aiment à ce point, malgré leur maladresse.

Aujourd'hui, je comprends ce que veut dire l'expression «l'amour est aveugle». Parfois, je me dis qu'il aurait peut-être mieux valu que mes parents ne se rencontrent jamais. Un couple avec un seul maladroit peut toujours passer inaperçu, mais avec deux…

Moi, je suis le mouton noir de la famille, parce que je fais extrêmement attention de ne pas commettre de maladresses. Jusqu'à maintenant, j'ai pu échapper à ce fléau. Cependant, je me demande s'il existe un gène de la maladresse. Si oui, mes parents m'ont certainement transmis le leur, qui attend, tapi dans un recoin de mon ADN, de s'activer. C'est l'épée de Damoclès qui pend au-dessus de ma tête! Si un jour ce gène se manifeste, ce sera le plus terrible de ma vie…

Aussitôt, je regrette d'avoir pensé une telle chose. Car, si ce n'est de cette gaucherie, mes parents sont vraiment, mais vraiment gentils…

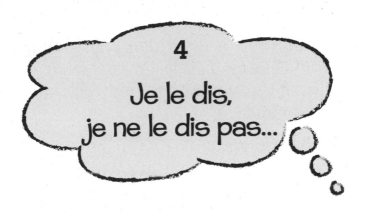

4

Je le dis,
je ne le dis pas...

Vendredi matin, à l'école, Thomas me regarde arriver, un point d'interrogation imprimé dans ses pupilles. Je lui dis bonjour avec un grand sourire. Il soupire de soulagement et me presse de questions :

– Pas trop fâchée pour hier ?

– Non, pourquoi ?

– As-tu dit à tes parents que la professeure t'avait envoyée chez le surveillant ?

– Qu'est-ce que tu en penses? Ils n'ont pas ǎ savoir cela. Et tu apprendras que La Girouette ne m'impressionne pas du tout!

J'ai répondu assez fort pour que tous les élèves autour m'entendent. Le silence se fait et ils disparaissent un à un. J'imagine que personne ne veut être vu en présence de celle qui s'est fait renvoyer pour avoir refusé de répondre à une stupide question de morale. Ils doivent tous penser que je suis nulle ou complètement détraquée. Je ne leur prouverai pas le contraire. J'aime mieux être seule que harcelée...

– CHUT! Ne l'appelle pas comme ça, me prévient mon copain. Elle va te garder en retenue. D'après ce que j'ai vu hier, elle est redoutable. Fais-toi transparente, je t'en prie, et laisse-toi oublier par madame Giroux-Lanouette.

– C'est bien ce que j'ai décidé de faire : devenir transparente. Je ne me présenterai plus à ses cours.

– Quoi ? Tu vas rater ton année pour un cours de morale ? Franchement, Isabelle, as-tu bien réfléchi ? Qu'est-ce qu'elle a de si difficile, cette question ?

Je ferme la porte de mon casier avec fracas. Non, il ne faut surtout pas que cela recommence. Jamais je ne revivrai l'enfer des dernières années, jamais ! Même si je dois perdre l'amitié de Thomas, je ne dirai rien. Je prends la direction de mon local de cours, Thomas sur les talons. Tout le monde s'écarte sur mon chemin. Cela change des perpétuelles moqueries de l'an dernier.

– Oh ! Isabelle, ne te choque pas, s'il te plaît. Je faisais cela pour t'aider. Ce ne doit pas être si difficile de répondre à cette question. Tes parents sont gentils, après tout, c'est toi qui l'as dit. Qu'est-ce que cela peut nous faire qu'ils aient des défauts? Plus on vieillit et plus on se rend compte que tous les parents en ont. À moins bien sûr que tes parents soient des terroristes, des membres de la mafia, des revendeurs de drogue, des... je ne sais pas, moi!

– Je te remercie, Thomas, mais je ne veux pas d'aide.

J'ai beau marcher de plus en plus vite, il me suit comme une tache de beurre d'arachide, comme un lacet détaché, comme un bouton dans la face... Il insiste:

– Et si je te confiais mon plus gros secret, tu me dirais le tien? On m'a dit qu'un secret, c'est plus facile à porter à deux, mais je n'ai trouvé personne à qui le dire, personne qui en vaille la peine. Je sais qu'on ne se connaît pas depuis longtemps, mais tu es ma seule amie...

La cloche me sauve. Toute la matinée, je suis tiraillée entre la sympathie de Thomas, ma curiosité de connaître son secret et la peur de voir mon propre secret revenir me hanter. Personne ne me connaît ici et c'est très bien ainsi. Je résiste toute l'heure du dîner aux regards de chien battu de Thomas, me cantonnant derrière mon mutisme. Le cours suivant est... enseignement moral. Quel horaire nul: enseignement moral deux jours d'affilée! J'évite soigneusement le local de La Girouette et passe directement au bureau du surveillant pour lui annoncer que je suis malade, une migraine encore. Durant une heure, j'ai droit au lit de l'infirmerie. J'en profite pour ruminer sur mon sort. Le résultat est toujours le même: La Girouette 1, moi 0. Thomas a droit à un demi-point, pour son secret qui m'intrigue de plus en plus. À l'intercours, l'inévitable se produit: madame Giroux-Lanouette m'accroche au passage. Elle arbore le même regard un peu étrange que dans mon cauchemar. De quoi donner des frissons. Sur son chemisier, le vestige d'un petit pois écrasé...

– Mademoiselle Tremblay, c'est justement vous que je voulais voir. J'ai cru remarquer que vous n'étiez pas venue à mon cours. Puis-je connaître le motif de cette absence ?

Elle semble avoir oublié qu'elle m'a interdit de revenir si je ne lui rapporte pas mon travail terminé.

– J'étais à l'infirmerie. Je fais souvent des migraines en ce moment.

– Ce n'est pas normal, à votre âge. Vous cachez quelque chose, c'est évident. Même votre corps le refuse. Je vais être dans l'obligation d'appeler vos parents, mademoiselle…

Mes yeux deviennent ronds comme des billes. Je dois trouver quelque chose et vite…

– C'est impossible, ils sont en voyage en ce moment. En… en Afrique, pour une mission humanitaire, dans un village très, très pauvre. Ils n'ont pas le téléphone.

– Et qui s'occupe de vous à la maison?

– Euh... moi! Enfin... ma tante vient à la maison tous les soirs, mais... elle ne parle pas le français... juste le russe!

Je n'ai jamais été bonne pour mentir. J'ai toujours l'impression que mon nez rallonge, comme celui de Pinocchio, et que je me mets à loucher. Et à bégayer. Quelle horreur! Je sens que mon petit mensonge est en train de grossir et qu'il va devenir une énorme bulle qui m'éclatera bientôt en pleine figure. POW!

La cloche me sauve de nouveau. Je m'éloigne rapidement, poursuivie dans le corridor par sa voix de soprano colorature:

– Vous finirez bien par me le dire, mademoiselle Tremblay. Vous ne pourrez pas toujours vous défiler. Je vous laisse la fin de semaine pour y réfléchir, et j'exige de vous voir à mon bureau lundi matin, sans faute.

Au cours suivant, je m'assois derrière Thomas et lui glisse un message :

«Rendez-vous au parc de la Rivière, demain matin, 10 heures. Seul. Je te dirai tout.»

Thomas se retourne vers moi avec un grand sourire qui me fait du bien. Je m'étais promis de ne rien dire à personne, jamais. Mais je suis trop empêtrée dans cette histoire avec La Girouette et je ne sais plus quoi faire pour m'en sortir. Elle n'a pas tout à fait tort, c'est vraiment en train de me miner le moral.

Thomas a peut-être raison : il est sûrement moins difficile de porter un secret à deux.

Le lendemain matin, en marchant en direction du parc de la Rivière, j'essaie d'imaginer le secret de Thomas.

«J'ai tué mes parents!»

Non, sûrement pas. C'est trop atroce et il ne le dirait à personne.

«Je ne suis pas un garçon. J'ai subi une opération cet été.»

Franchement, cela se verrait, j'imagine. Thomas n'a vraiment pas l'air d'une fille. Je sais, je sais:

«Je me suis sauvé de la maison. Je vis maintenant dans la rue.»

Moi, si je fuguais, je n'irais pas à l'école. Je me cacherais. Non, il doit y avoir autre chose. Peut-être:

«Des extra terrestres m'ont kidnappé et m'ont implanté toutes sortes de gadgets dans le cerveau. Je suis en mission pour conquérir la race humaine et l'assimiler.»

Oui, cela devient intéressant. Ou encore:

«Je suis capable de léviter et de faire plier des fourchettes juste avec ma pensée.»

Oooouuh! Je l'aime bien, celle-là. Peut-être qu'il pourrait faire bouger des objets dans la classe de La Girouette et lui faire écrire au tableau: «La classe est finie. Allez-vous-en!»

Ce matin, je me suis levée en me disant que j'allais faire une folie en lui révélant mon secret, que j'allais recommencer à souffrir... Mais ai-je le choix? J'ai écrit sur le papier: *Je te dirai tout.* Je suis liée par cette promesse... En tout cas, je ne lui dirai que si son secret en vaut la peine, si je peux l'utiliser comme garantie de son silence. Ce n'est peut-être pas gentil, mais s'il fallait qu'il le révèle à toute l'école, je n'y survivrais pas.

Thomas m'attend, assis sur une balançoire. Après avoir examiné attentivement les alentours pour vérifier que personne ne nous espionne, je m'assois à côté de lui. Pendant plusieurs longues minutes, un ange passe. Depuis que je sais que cette expression veut dire que personne ne parle, je guette les anges, au cas où j'en verrais un. Puis Thomas se met à dessiner des cercles avec son pied dans le sable et dit:

– Je suis adopté.

Ma bulle se dégonfle. C'est cela son secret? Rien que cela? Pas de meurtre, pas d'extraterrestres, rien pour écrire à sa mère... Je me demande bien ce qu'il trouve de si terrible à être adopté. Au contraire, il a beaucoup de chance de ne pas être orphelin ou déplacé d'une famille d'accueil à une autre. Il a des parents qui l'aiment comme s'il était l'enfant de leur propre sang.

J'ai l'idée de me lever et de partir, mettant ainsi fin à mon obligation de dire mon secret. Mais je reste assise, à regarder couler la rivière. Il me dévisage avec des yeux implorants.

– Tu ne comprends pas ? Je suis adopté. Sauf que mes parents ne me l'ont jamais dit. Je l'ai découvert tout seul, en fouillant dans des boîtes de vieux papiers. Tu peux imaginer ma surprise. Ma vraie mère s'appelle Y. Tu te rends compte ? Y ! Ça peut être n'importe qui : Yolande, Yvette, Yacinthe, Yasmine, Yvonne… Et pour mon père, ils ont écrit « inconnu ». J'ai l'impression de n'être rien du tout, le résultat d'une erreur, d'un croisement de X par Y.

– As-tu parlé à tes parents… euh… tes parents adoptifs de ta découverte ?

– Non. Je… je n'ose pas. Il faut croire qu'ils ne me font pas confiance, sinon ils me l'auraient déjà dit. Et si c'est moi qui leur en parle, ils vont penser que c'est parce que je ne les aime pas, que je suis égoïste. Tu comprends?

Je passe mon bras autour de ses épaules. Tout à coup, mon secret paraît bien ridicule à côté du sien. Pourtant, il me l'a confié et je n'ai d'autre choix que de respecter ma parole. Je me lance:

– Mes parents sont les êtres les plus maladroits de la planète. Et avant que je déménage ici, de «supposés» copains venaient constamment à la maison pour les voir commettre des maladresses. Ils leur demandaient l'heure alors qu'ils avaient un verre plein dans la main, ils pinçaient un tuyau d'arrosage et le laissaient aller au moment où mon père regardait pourquoi l'eau ne venait pas, ils barbouillaient la poignée de la porte avec de la mine et disait ensuite à ma mère qu'elle avait une mouche sur le front, ils laissaient un râteau traîner sur la pelouse, ou une planche à roulettes dans les marches de l'escalier... C'était le genre de trucs niais ou dangereux qui les faisaient rigoler. Le pire, c'est que mes parents riaient avec eux, pour montrer à mes amis à quel point ils étaient bons princes et pas rancuniers pour deux sous. Moi, je me cachais dans ma chambre, en pensant que j'avais les pires parents du monde. Ils étaient tellement connus dans le quartier que le quincaillier mettait toutes ses vis dans des boîtes scellées, que le pharmacien leur interdisait de se servir eux-mêmes et que l'épicier avait cessé de faire des pyramides de conserves dans son magasin. Et les policiers faisaient leur ronde deux fois plus souvent dans notre quartier qu'ailleurs. Dès qu'ils voyaient mon père, ils lui demandaient: «Ça va bien aujourd'hui, monsieur Tremblay? Appelez-nous si vous avez besoin d'aide, hein!» Et ils repartaient en rigolant.

Mon père a changé d'emploi et depuis que nous avons déménagé, ma vie est redevenue presque normale. Mes parents ne se font pas encore trop remarquer. Et moi, j'essaie de ne pas être là lorsqu'ils trébuchent ou qu'ils laissent tomber quelque chose, lorsqu'ils portent leur chemise à l'envers ou qu'ils traînent une grande longueur de papier hygiénique derrière eux. Quand La Girouette m'a demandé quel était le défaut de mes parents, je n'ai tout simplement pas été capable de le lui dire. Ni même de lui mentir. J'ai eu trop peur que tout recommence. Alors, tu comprends, j'ai figé, bêtement. Et depuis, elle me harcèle. Mais je ne lui dirai rien. Jamais !

Nous restons silencieux un bon moment. Un ange passe, puis deux. Nous poussons, en même temps, un long soupir qui se termine par un éclat de rire irrépressible. Redevenu sérieux, Thomas demande :

– Qu'est-ce qu'on fait maintenant ?

– Je pense que tu devrais dire à tes parents que tu connais leur secret. Et que tu es assez grand pour comprendre.

– Je me connais : je vais raconter n'importe quoi et me mettre à pleurnicher comme un bébé. Ils vont alors me faire comprendre que je ne suis pas assez grand pour qu'ils m'en parlent.

– Si j'étais dans ta situation, je crois que j'écrirais une lettre à mes parents. Je prendrais le temps de leur écrire tout ce que je suis incapable de leur avouer, et eux auraient le temps de réfléchir à ce qu'ils voudraient me dire. Tout le monde en sortirait gagnant.

– Tout semble si simple quand c'est toi qui le dis. Je veux bien essayer, mais j'aimerais que tu m'aides à écrire la lettre. Maintenant, à toi, Isabelle. Je suis sûr que tes parents sont des gens très gentils, même s'ils sont maladroits. Leur as-tu expliquer que leur comportement te rendait malheureuse ?

– Dans mon cas, Thomas, il n'y a rien à faire. Mes parents savent très bien qu'ils sont maladroits. Le mieux, c'est de ne rien faire. Rien de rien. Ne rien dire et surtout ne plus inviter personne à la maison. Jamais !

– Même moi ?

– Même toi, Thomas ! Je suis désolée, mais il faut que tu comprennes que j'ai eu trop de mauvaises expériences...

Je vois bien qu'il a l'air malheureux, mais j'ai eu trop « d'amis » qui m'ont trahie lorsqu'ils se retrouvaient devant mes parents.

– Mais pour La Girouette, que feras-tu ?

– Je vais lui redonner mon devoir avant qu'elle ne mette sa menace à exécution et qu'elle appelle mes parents. J'écrirai ce qu'elle veut entendre, c'est-à-dire que mes parents sont les gens les plus gentils du monde et qu'avant aujourd'hui, je ne leur avais jamais trouvé de défauts. Mais qu'à bien y penser, ils sont peut-être… un peu trop gentils… avec les autres.

NE RIEN FAIRE !

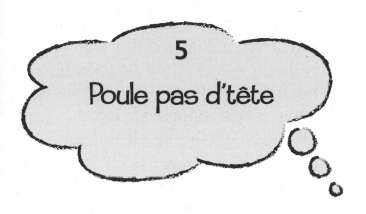

5
Poule pas d'tête

Nous quittons le parc de la Rivière après avoir écrit une ébauche de lettre, que Thomas doit retranscrire avant de la remettre à ses parents. En nous séparant, je lui fais promettre de me tenir au courant de leur réaction. De mon côté, j'essaie de ne pas trop penser. Je suis déçue, car je ne suis pas plus avancée qu'à mon réveil. Je n'ai pas été capable de garder mon secret et j'ai de plus en plus la certitude que même un génie sorti d'une bouteille ne pourrait pas transformer mes parents en gens normaux.

En arrivant dans ma rue, je m'aperçois que quelque chose ne tourne pas rond. Trois voitures de police ont bloqué l'entrée et une ambulance, gyrophares en fonction, se faufile entre les véhicules, au son strident des sirènes. Des agents sont postés derrière leurs voitures, leurs fusils braqués dans la même direction. Un autre policier tient un mégaphone dans lequel il hurle:

– Sortez de la maison, les mains en l'air!

Pour peu, je me croirais sur le plateau de tournage d'un film policier. Malheureusement, la maison visée est la mienne et les deux personnes qui sortent par la porte, les mains pointant le ciel, ce sont mes parents. Mon cœur saute plusieurs battements. Mon père tient une clé anglaise et son T-shirt est maculé de rouge. Ma mère, elle, agrippe un grand couteau de cuisine d'une main et de l'autre, une serviette également tachée de rouge. Mon père est aussitôt désarmé par des policiers et couché violemment au sol. Puis, je vois ma mère déposer son couteau avant d'être dirigée rapidement vers l'ambulance. Des points noirs envahissent mon champ de vision. Non, ce n'est pas possible! Pas mes parents! Ils s'adorent. Et ils ne feraient pas de mal à une mouche.

Je me précipite vers ma mère, affolée de voir sa main couverte de sang. Je dois jouer des coudes pour me faufiler entre les journalistes qui la photographient sous toutes les coutures. Elle est en train d'expliquer au policier qu'en fait, tout cela est une erreur et que son mari ne l'a pas attaquée. Elle remarque enfin ma présence à ses côtés et me rassure :

– Ne t'inquiète pas pour moi, Isabelle, je me suis fait une petite coupure sans importance.

– Mais d'où vient tout ce sang? Et papa aussi en est couvert. Pourquoi l'ont-ils arrêté?

– Attends que je te raconte, tu vas trouver cela plutôt rigolo.

J'en doute.

– Ce matin, ton père est allé rendre visite à la ferme de ton oncle Vito. Il voulait ramener une poule pour le souper. Vito n'avait pas eu le temps de la préparer, alors Charles me l'a ramenée… vivante! J'ai donc dû lui couper moi-même le cou. Si tu avais vu comme le sang giclait! Malheureusement, je me suis fait une petite entaille sur le pouce et pendant que je me mettais un bandage, je me suis mise à crier en voyant que la poule sans tête courait dans la cuisine. Ton père est arrivé sur les entrefaites, avec sa clé anglaise, parce qu'il travaillait à réparer la voiture. Par mégarde, il venait de sectionner la conduite de liquide à transmission, qui est aussi rouge que du sang. Notre chère voisine a dû entendre mon cri et elle a aussitôt alerté le 911, pensant qu'une scène de ménage avait tourné au pire. Comme tu vois, il ne s'est rien passé de grave et personne n'est blessé. À part la poule, bien sûr!

– Mais ils vont emmener papa au poste de police, comme un vulgaire criminel!

– Non, non, ne t'en fais pas. Le seul crime qu'il a commis, c'est d'avoir abîmé la voiture. Il faudra encore la faire remorquer chez le garagiste.

Puis, devant les journalistes déçus de ne pas avoir couvert le *scoop* de l'année, elle dit:

– Si vous voulez bien m'excuser, j'ai une poule à mettre au feu!

Je reste là, les bras pendants, complètement abasourdie devant l'aisance de ma mère à se sortir des situations désespérées dans lesquelles sa maladresse la plonge. Du 9 sur l'échelle de Chaplin. Soudain, j'ai la désagréable sensation qu'on m'observe. Un caméraman pointe sa caméra sur moi et un journaliste se plante à mes côtés, le micro sous mon nez.

– Vous êtes la fille de monsieur et madame Tremblay, n'est-ce pas? Quelle impression cela vous fait-il de voir toute cette agitation pour une simple coupure?

– NON! Pas de commentaires! dis-je en repoussant son micro et en prenant mes jambes à mon cou.

Lorsque je rentre dans la maison, je trouve mes parents en train de rire aux éclats, assis au milieu de la cuisine maculée de sang, la poule à moitié plumée à côté d'eux. Dégoûtée, autant par le gâchis que par le comportement de mes parents, je cours me réfugier dans ma chambre en me posant mille fois la question «Pourquoi n'ai-je pas des parents normaux?» Pourquoi? Pourquoi?

À l'heure du souper, toutes les chaînes télévisées en mal de sensations en ont fait une nouvelle nationale. Les journalistes nous présentent la scène sous tous les angles. C'est tout simplement horrible. On a même droit à une vision de la cuisine, de la poule morte, du sang dans tous les coins et de mes parents qui rigolent, scène que le caméraman a dû croquer par la porte-fenêtre. Le commentateur, le sourire fendu jusqu'aux oreilles, termine sa présentation ainsi:

– Nous avons appris, de source sûre, que la famille Tremblay mangera de la poule pour souper. Bon appétit, les Tremblay!

Mes parents ont l'air drôlement fiers d'être les héros du jour. Les zéros, plutôt... Mon père a enregistré l'émission et la repasse plusieurs fois en la commentant. Moi, ma vie vient de frapper un mur à vitesse supersonique. Je voudrais disparaître tellement j'ai honte. Le pire du pire, c'est qu'on voit très bien MON VISAGE à plusieurs reprises. On entend même ma mère m'appeler ISABELLE. Les Isabelle Tremblay ne courent pas les rues dans une petite ville comme ici. Lundi, je serai la risée de mon école. Comme avant le déménagement. J'imagine d'avance les *pot-pot-pot!* qu'on gloussera dans mon dos, les œufs qu'on lancera sur mon passage, les plumes dont on couvrira mon casier, les «poule pas d'tête», «poulette», «poussinette», «dindon de la farce» dont on m'affublera.

J'ai jeté la cuisse de poule sans y avoir planté les dents. C'était pourtant mon repas préféré, avant. Non, je ne mangerai plus de poulet de ma vie. Jamais.

La nuit a été épouvantable. J'ai rêvé à La Girouette, aux parents de Thomas, à la poule sans tête et aux élèves de mon école. Ils gloussaient tous en me montrant du doigt. Lorsque je me suis regardée dans le miroir, je n'ai vu que des plumes blanches tachées de rouge. En grattant bien, j'ai découvert le visage de ma mère, le t-shirt maculé d'huile de mon père et moi, en dessous, qui étouffais. Je me suis réveillée dans une montagne de plumes, la tête sur un oreiller éventré.

Je n'aurai plus jamais d'oreiller de plumes. Jamais.

J'en conclus que le temps est venu de faire quelque chose. Je ne vais pas passer ma vie à supporter bêtement les railleries des autres. Et surtout, je ne laisserai pas mes parents être les dindons de toutes leurs farces. Je dois les changer. Pas changer de parents parce que, après tout, ils sont gentils, mais changer l'image qu'ils ont d'eux-mêmes. L'image qu'ils projettent lorsque la maladresse s'abat sur eux. J'ai réfléchi et j'en suis venue à la conclusion qu'ils commettent tant de maladresses parce qu'ils n'ont pas confiance en eux, et qu'ils en rient uniquement pour se protéger. J'imagine qu'ils doivent parfois avoir le goût de pleurer. Je dois donc essayer de leur redonner confiance. Je ne sais pas encore comment je vais procéder; ma seule certitude est que je n'ai pas le choix. Je dois le faire pour eux, mais aussi pour moi.

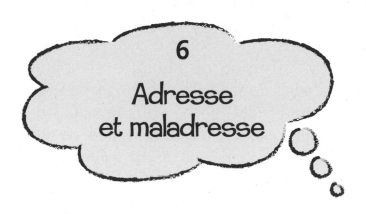

6

Adresse
et maladresse

Dimanche matin. Il n'y a pas meilleur moment pour un nouveau départ. Après un petit déjeuner enfilé en vitesse, je m'installe à l'ordinateur et commence à naviguer sur Internet. En utilisant le moteur de recherche Google, je tape «maladresse»: 746 000 pages. J'en obtiens 1 400 000 pour le mot «maladroit». De quoi donner mal au cœur à n'importe quel internaute chevronné. Cela m'ouvre pourtant les yeux: mes parents ne sont pas les seuls gaffeurs de la planète. Je raffine ma recherche et j'apprends plusieurs détails intéressants, à commencer par la définition de maladresse: *Défaut d'adresse, impossibilité d'effectuer correctement un geste donné. Caractère d'une personne maladroite physiquement, ou dans son comportement.* Vient ensuite une série de synonymes: *erreur, imprudence, impair, faute, bévue, gaffe, sottise, boulette, balourdise, ineptie, bêtise, inexpérience, naïveté, ignorance, incapacité…*

Les maladroits ont même leurs expressions consacrées. Ainsi, on dira *donner sa maladresse en spectacle; comme un éléphant dans un magasin de porcelaine; se mettre les pieds dans les plats; avoir les deux pieds dans la même bottine; sans prendre de gants blancs; avoir deux mains gauches ou les mains pleines de pouces; être aussi adroit des mains qu'un chien de sa queue; se prendre les pieds dans les fleurs du tapis…*

Ma découverte la plus importante concerne les causes physiques de la maladresse. C'est le cervelet qui s'occupe de l'équilibre et des mouvements involontaires, comme la respiration ou le clignement des yeux. Il coordonne aussi les mouvements volontaires du corps, dans le temps et dans l'espace. Par exemple, pour prendre un verre qui est devant nous, il faut d'abord penser à prendre le verre, allonger le bras, juste ce qu'il faut pour que la main soit vis-à-vis du verre, ouvrir la main puis refermer les doigts avec suffisamment de force, pas trop toutefois, pour ensuite ramener le verre à soi. Tout cela a l'air bien simple, mais pas pour les maladroits. Manquer n'importe lequel de ces mouvements peut provoquer la chute du verre, qui répand alors son contenu par terre. OUPS! désolée!

Un article donne l'exemple d'un adolescent qui grandit très rapidement et qui a de la difficulté à coordonner ses mouvements parce qu'il n'a pas encore la sensation de son nouveau corps dans l'espace. C'est donc normal pour lui d'être maladroit. Mes parents, eux, ont fini de grandir depuis longtemps. Resteront-ils d'éternels adolescents?

Il est aussi possible que la maladresse provienne d'un dysfonctionnement du cervelet, par suite d'un accident ou de certaines maladies. Mes parents seraient-ils malades? Je ne me rappelle pas qu'ils soient jamais allés à l'hôpital pour quelque chose de sérieux, si ce n'est à cause d'une grosse maladresse. Ils ont des rhumes et des grippes, mais pas plus ni moins que d'autres.

L'article se termine sur ces mots: *Nous sommes plus ou moins habiles, en fonction de nos prédispositions naturelles, mais aussi de notre entraînement. Plus nous répétons un mouvement, plus nous acquérons de la dextérité*. La dextérité, c'est la qualité des gens adroits! Y aurait-il de l'espoir pour mes parents? Je me répète cette phrase plusieurs fois, comme un mantra. J'ai la vague impression qu'elle recèle une solution à notre problème.

La tête remplie de définitions, de synonymes et d'expressions, mais surtout d'interrogations, je sors prendre l'air. Je longe un grand terrain vague où règne une agitation inhabituelle. Je m'approche: un concours d'adresse canine. Quelle coïncidence! Des obstacles peints de couleurs vives ont été disposés sur la pelouse. Barrières, rampes, cerceaux, tuyaux, échelles, le tout ressemble à un parc d'attractions en miniature. Les jappements excités des candidats en disent long sur leur plaisir de courir et de sauter. Je m'accote contre la barrière et je regarde un moment le spectacle, émerveillée de voir l'adresse de ces animaux. J'ai toujours adoré les chiens, cependant, je ne peux empêcher un souvenir pénible de refaire surface.

C'est le matin de mon huitième anniversaire et mes parents m'ont fait le plus incroyable des cadeaux : un chiot, que je nomme affectueusement Mouchetache à cause de la dizaine de taches blanches sur sa fourrure noire. Après mes parents, c'est certainement l'être vivant que j'aime le plus au monde. Une magnifique boule de poils qui passe ses journées à jouer avec moi et qui me suit partout, jusque dans mon lit, où il partage mon sommeil.

Puis arrive le jour où mon père doit repeindre le cabanon. Mouchetache s'amuse à passer et à repasser sous son échelle en jappant. Mon père le regarde faire quelques minutes en riant, oubliant du coup qu'il tient un pot de peinture à la main. Mouchetache, qui a toujours été d'un magnifique noir tacheté de blanc, devient soudain vert, vert cabanon. «OUPS! Désolé!» gémit, une fois de plus, mon père. Si seulement cela s'était arrêté là...

Il se met à crier pour avertir ma mère du désastre. Elle ouvre la porte-fenêtre pour entendre ce que dit Charles mais, voyant que Mouchetache, englué de peinture, essaie d'entrer, elle referme aussitôt la porte... sur la queue de mon chien. Quel hurlement! Mon père capture alors Mouchetache, l'enferme dans sa cage de voyage et le met dans le coffre de la voiture pour l'amener chez le vétérinaire. Trois heures plus tard, papa revient en nous disant qu'il a dû arrêter au bureau pour une urgence. Lorsque nous lui demandons comment va Mouchetache, il se tape la tête avec la main, lance un «OUPS! Désolé! J'ai oublié!» et repart en courant vers l'auto. Le pauvre Mouchetache est resté trois heures enfermé dans la voiture, la queue cassée, la fourrure gommée de peinture, plus mort que vif. Une fois guéri, il s'est sauvé et nous ne l'avons plus jamais revu. J'ai été terriblement déçue, mais j'ai eu ma leçon: jamais plus je n'ai laissé d'autres animaux s'approcher de mes parents...

Je reviens au présent lorsque j'entends la conversation de deux hommes qui observent la compétition et dont les chiens, un berger allemand et un beagle, sont sagement couchés à leurs pieds.

– Donut va participer à la prochaine compétition. Il a presque terminé son entraînement. Tu vas voir, ce sera un champion.

– Bagel aussi est extraordinaire, malgré ses courtes pattes. Il réussit maintenant le parcours pour chiens de petite taille et il a perdu son complexe d'infériorité. Avant, il rampait comme un ver de terre. Aujourd'hui, il dépasserait presque un lévrier à la course !

– C'est là qu'on voit que ce n'est pas la taille qui fait le chien, mais son adresse.

– Et son entraîneur. C'est un as, Éric Dubois. Il n'y en a pas de meilleur dans toute la ville.

Une pensée me frappe soudain. Éric Dubois... Et si...? Non, c'est une idée absurde. Cela ne pourrait pas fonctionner...

À moins que...

À tout hasard, je demande aux deux spectateurs :

– Éric Dubois est-il si fameux ?

– Il est tout simplement fantastique ! me répond le propriétaire du berger allemand. Mon chien en est la preuve. Avant, il ne pouvait pas faire deux pas sans s'accrocher dans ses pattes. Maintenant, il peut exécuter ce parcours d'obstacles sans aucune faute. Éric, c'est l'homme au chapeau de cow-boy, là-bas. Allez le voir, je vous le recommande !

Je le remercie et me dirige vers l'homme en question. Il observe un labrador noir qui vient de terminer un parcours parfait. Il affiche un grand sourire en se tournant vers moi :

– C'est Lady. Si vous l'aviez vue au début : la seule chose qui l'intéressait, c'était de creuser des trous pour passer sous les barrières. Je crois qu'on en a fait un bon chien. Qu'est-ce que « L'école canine Éric Dubois » peut faire pour vous, mademoiselle ? ajoute-t-il en me fixant de ses yeux bleus comme si je lui rappelais quelqu'un.

– Euh... monsieur Dubois, c'est vrai que vous donnez des cours d'adresse ?

– Oui, bien sûr. C'est ce que je fais de mieux. Et les résultats sont garantis. Quel genre d'animal avez-vous ?

– Euh... ils sont plutôt maladroits, mais... très gentils.

– Ah ! vous n'en avez pas seulement un. Combien sont-ils ?

– Deux. Mais je ne suis pas sûre qu'ils vont accepter de venir.

– Ne vous en faites pas, ils finiront par adorer leurs leçons. Avec quelques gâteries et beaucoup de patience, ils acceptent toujours de faire ce qu'on leur demande. Amenez-les-moi cet après-midi, à 14 heures précises.

Puis il fronce les sourcils et déclare :

– Vous savez certainement que les cours ne sont pas gratuits. Assurez-vous que vos parents soient au courant et qu'ils viennent avec vous pour payer. D'accord ?

Je ne peux cacher mon jeu plus longtemps :

– Euh... c'est que... c'est pour mes parents. Les leçons sont pour mes parents...

Éric Dubois me regarde sans comprendre, puis ses yeux s'agrandissent comme des soucoupes :

– Ah ! je savais que je vous connaissais. Je vous ai vue à la télévision. Vos parents sont passés hier aux nouvelles nationales, c'est bien cela ? Pour une histoire de poule pas de tête qui courait partout dans la maison ?

– Euh... seulement dans la cuisine, dis-je en rougissant jusqu'aux oreilles. Mais je suis sûre que vous pouvez aider mes parents. Ils sont tellement maladroits. Et on m'a dit que vous étiez le meilleur.

– NON, NON et NON! aboie Éric Dubois, furieux. Oubliez cette idée ridicule, mademoiselle. Je suis un honnête entraîneur pour chiens. POUR CHIENS, vous comprenez? Vos parents pourraient troubler profondément les CHIENS avec lesquels je travaille, et cela, je ne l'accepterais jamais. Non, mais imaginez: des humains qui suivent des cours pour chiens. Franchement! Allez, ouste! Disparaissez!

Humiliée comme jamais auparavant, je m'éloigne le plus vite possible, poursuivie, me semble-t-il, par les aboiements enragés des chiens. Éric Dubois, le meilleur des entraîneurs? Foutaise!

Je dois parler à Thomas. J'ai absolument besoin de son aide. Lorsque j'arrive chez lui, sa mère me dévisage avec un drôle d'air. Ah non! pas elle aussi! Je m'apprête à lui dire que ce n'est pas moi qu'elle a vue hier à la télévision lorsque Thomas me tire par le bras jusque dans sa chambre.

– Ça y est, Isabelle, ma mère a lu la lettre.

– Super! Qu'est-ce qu'elle a dit? Elle a avoué?

– Elle m'a annoncé qu'elle devait attendre mon père avant de m'en parler. Il est camionneur et n'arrivera que dans deux jours.

– Pourquoi attendre? Elle a peur de te dire elle-même la vérité?

– Elle m'a dit que c'était beaucoup plus compliqué que cela en avait l'air.

– Hein? Je ne comprends pas. Tu es adopté ou tu ne l'es pas?

– Viens, Isabelle. Sortons d'ici. Je n'en peux plus de regarder les murs de ma chambre et de chercher une solution à cette énigme.

Dehors, Thomas m'entraîne dans un grand terrain boisé qui s'étend derrière chez lui, sur un sentier qu'il m'assure être le seul à connaître. Nous marchons en silence jusqu'à ce que nous arrivions au bord d'une falaise. La vue est à couper le souffle. Thomas déclare :

– Tu connais maintenant mes deux secrets : le pire, celui de ma naissance, et le plus cher, cet endroit que je n'avais partagé avec personne jusqu'à maintenant. Qu'est-ce que je peux faire pour t'aider ?

Sa confiance me touche profondément. Je respire un grand coup et je me lance :

– J'ai pensé que j'allais... euh... non... que NOUS allions montrer à mes parents à être moins maladroits. J'avais l'intention de les inscrire à un cours d'adresse, mais on n'a pas voulu d'eux.

Offusqué, Thomas s'écrie :

– C'est injuste ! On ne peut pas les refuser. Tu sais qu'on pourrait appeler J.E., l'Office de la protection du consommateur, le maire... Ils vont perdre leur permis, fie-toi à moi !

– Non, dis-je en riant, c'est juste que mes parents ne sont pas assez... canins pour « L'école canine Éric Dubois ». Mais ce n'est pas grave, nous allons le faire nous-mêmes. À deux, nous serons certainement aussi bons que ce supposé meilleur entraîneur de la ville.

Thomas me regarde, étonné, puis il éclate de rire :

– Aux pieds, maman. Fais la belle ! Rapporte la *baballe*, papa !

– Non ! Je pensais seulement leur montrer comment réagir pour éviter de faire des maladresses. Prévenir plutôt que guérir. J'ai lu ce matin que nous sommes plus ou moins adroits en fonction de nos habiletés personnelles et de notre entraînement. Et que plus nous répétons un mouvement, plus nous acquérons de l'adresse. Ce que j'aimerais, c'est les entraîner à faire les bons mouvements, au bon moment. C'est génial, tu ne trouves pas ?

Thomas est toujours sceptique.

– Et comment vas-tu réaliser un tel exploit ?

– Comment allons-NOUS réaliser cet exploit ? C'est là que j'ai besoin de ton aide.

Pendant l'heure suivante, nous discutons du projet que nous baptisons «LAMA». Nous décidons de commencer dès le lendemain, après le souper. Je donne rendez-vous à Thomas, chez moi, même si je lui avais juré que je ne l'inviterais jamais. Il n'y a que les fous qui ne changent pas d'idée.

Maintenant, le plus difficile reste à faire : convaincre mes parents. Pour cela, j'ai aussi un plan.

7

Projet LAMA

À l'école, la journée du lundi est aussi abominable que je l'avais imaginée... On dirait que toute la population étudiante était rivée à son petit écran, samedi soir dernier. Enfin, il y a bien quelques garçons qui m'ignorent et des filles qui me lancent des regards compréhensifs, mais rien n'empêche que je suis la cible de bien des plaisanteries portant sur les volatiles emplumés. Étrangement, je suis tellement préoccupée par mon projet LAMA que leurs insultes glissent sur moi comme la pluie sur le dos d'un canard. J'évite soigneusement La Girouette qui, heureusement, ne cherche pas à me parler. Peut-être a-t-elle vu le journal télévisé, elle aussi? Thomas est nerveux, mais pour une tout autre raison. Son père doit arriver le lendemain et l'atmosphère est très tendue entre sa mère et lui. Lorsque la cloche annonce la fin du dernier cours, deux soupirs éclatent bruyamment dans la classe.

Au souper, je prends mon courage à deux mains.

– Papa et maman, j'ai quelque chose à vous demander.

Les fourchettes restent suspendues au-dessus des assiettes. Mes parents échangent un regard surpris, et pour cause: je leur demande rarement des choses de manière aussi officielle et je dois dire que, depuis leur dernière grosse gaffe, celle de la «poule pas d'tête», je les ai un peu boudés. Je respire profondément.

– J'ai un projet à faire à l'école, avec Thomas, un copain. J'aimerais que vous m'aidiez.

Mes parents se regardent, intrigués, attendant la suite.

– Voilà, nous aimerions fonder un club à l'école.

– Un club de quoi?

– Euh... en fait, c'est plutôt une association par laquelle nous apporterions de l'aide à des gens qui en ont besoin.

– Minute, ma fille! proteste ma mère. C'est bien généreux de votre part de vouloir aider ces personnes, mais où allez-vous prendre l'argent? Ça coûte cher d'aider les gens dans le besoin et vous attirerez probablement des profiteurs qui sont beaucoup plus fortunés que vous.

– Non, non, je ne parle pas de ce genre de besoins. Le club s'appellera le LAMA, et nous donnerons des conseils, des idées, nous ferons des programmes d'entraînement, et...

– Le LAMA ? C'est quoi ? Un club de tricot ou une ferme d'élevage ? demande mon père en riant.

– Ne te moque pas, Charles. Laisse parler ta fille.

Je rentre la tête dans mes épaules et, sans regarder mes parents, je défile d'un trait ce que j'ai préparé avec Thomas :

– Le LAMA, c'est L'Association des Maladroits Anonymes. Le programme vise à aider les gens maladroits à acquérir plus d'adresse et à apprendre à réagir plutôt qu'à se laisser faire, à être « proactifs » pour utiliser un terme à la mode. J'aimerais beaucoup que vous nous aidiez à expérimenter les différentes étapes de l'entraînement.

Vous seriez, en quelque sorte... nos premiers cobayes!

Le silence s'abat sur la pièce. Un ange passe. Je réalise que j'aurais peut-être dû utiliser n'importe quel autre nom que les «maladroits» anonymes. Les malchanceux, les malhabiles, les mal en point, les mal-pris, les marginaux, ou peut-être les méconnus, les malins, les marrants, les magnifiques... Soudain, mon père éclate de rire, bientôt imité par ma mère. Ils rient toujours ensemble, ces deux-là. Je les laisse se calmer avant de leur demander:

– Qu'y a-t-il de si drôle?

– J'ai toujours cru que le fait que nous soyons un peu maladroits t'indisposait. Mais je vois qu'au contraire, tu as pris de l'expérience avec nous et que tu veux en faire profiter tes amis. C'est très généreux de ta part. Avant d'accepter, j'ai une question à te poser: as-tu vraiment confiance en Thomas ? Ne fera-t-il pas comme tes autres amis d'avant ?

Une boule de chaleur monte dans mon estomac. Je me rends compte que, malgré ses airs d'indifférence et ses rires faciles, papa me comprend très bien et qu'il ne veut pas que je sois malheureuse à nouveau. Je lui sauterais au cou. Je réponds :

– J'ai confiance. Il ne me trahira pas.

– Dans ce cas, je veux bien t'aider, même si je vais devoir me forcer pour avoir l'air maladroit.

Je le regarde, surprise, mais aussitôt rassurée par son clin d'œil. Ma mère intervient :

– Quand commence-t-on ?

Je pousse un soupir de soulagement. Phase un accomplie !

– Ce soir même. J'espère que vous êtes en forme ?

Une heure plus tard, Thomas et moi accueillons mes parents dans la cour. Nous leur faisons enfiler des habits de pluie et des bottes, un casque de sécurité et des lunettes de protection. Ils ont l'air de débarquer tout droit de la planète Mars, mais nous leur assurons que ces précautions sont nécessaires pour la première étape, qui est d'évaluer leur niveau M et leur potentiel A, M étant le niveau actuel d'adresse (de maladresse en ce qui concerne mes parents) et A, le niveau d'adresse que le candidat devrait atteindre avec l'entraînement. Comme mon père se permet des plaisanteries à répétition, je leur sers une mise en garde :

– Papa, maman, ce test est essentiel pour l'établissement d'un profil d'entraînement. Vous devez l'exécuter avec le plus de rigueur et de sérieux possible. Les épreuves sont construites à partir de tâches de la vie courante. Si vous êtes prêts, nous allons commencer.

Pendant que Thomas s'occupe de mon père, j'entraîne ma mère vers l'épreuve numéro un, qui est le test du verre d'eau. Ma mère sourit lorsque je lui explique qu'elle doit remplir le pichet d'eau avec la lance d'arrosage, puis se servir un verre. Elle ouvre d'abord le robinet au maximum et se fait éclabousser lorsqu'elle remplit le pichet. Elle transvase sans problème l'eau dans le verre, mais échoue lorsque je lui demande l'heure : OUPS ! Désolée ! En voulant finalement tout remettre en place, ma mère frôle le pichet avec sa manche. Re-OUPS ! Je note : M, 4 sur 10 et A, 7 sur 10.

Je la guide ensuite vers la balançoire en passant près d'un râteau « oublié » dans le gazon. Je l'évite soigneusement, contrairement à ma mère qui met le pied dessus et reçoit le manche en plein front. Heureusement qu'elle portait un casque ! Je lui fais traverser le carré de sable rempli de jouets, la fait passer sous le trapèze et marcher sur une corde étendue au sol, ce qu'elle réussit fort bien. Je repasse près du râteau et cette fois ma mère l'évite facilement. Elle fait déjà du progrès ! M, 7 et A, 8.

J'entends un cri de douleur du côté de mon père : il vient de se cogner les doigts avec un marteau. Son épreuve consistait à enfoncer quatre clous dans une planche de bois et à y installer des ampoules de Noël. Pauvre papa ! J'espère que cela ira mieux avec l'épreuve du bol de soupe à faire réchauffer dans le four à micro-ondes !

J'entraîne ma mère vers une table où l'attendent une douzaine d'œufs, un plat contenant un mélange à muffins, un mélangeur à main et des moules. Elle a l'air d'apprécier l'épreuve et elle se met aussitôt à la tâche avec assurance. Ma mère est très gourmande et elle exige toujours de faire les muffins, même si mon père les réussit mieux qu'elle. Deux œufs tombent par terre, un troisième s'écrase dans le bol, coquille comprise, et le mélangeur gicle dans toutes les directions. Trois des douze moules ne reçoivent pas de mélange et deux débordent. M, 4 et A, 7.

L'épreuve suivante consiste à transporter un pot de peinture plein, sans couvercle, sur un trajet encombré d'obstacles. Le trajet longe la piscine, contourne les bicyclettes et la tondeuse à gazon, passe sous une échelle et culmine sur le patio, qui surplombe l'escalier de cinq marches. Je ne l'ai pas dit à ma mère, mais j'ai remplacé la peinture par du lait mélangé à de la farine. Heureusement! À la fin de l'épreuve, le pot est à moitié vide. Ou à moitié plein, selon mon optimiste de mère! M, 5 et A, 8.

Finalement, après les avoir débarrassés de leur encombrante tenue, nous invitons mes parents à prendre un chocolat chaud et les muffins de maman à l'intérieur. Nous les observons tout en compilant les notes. Ils ont eu l'air de trouver très drôles certaines épreuves, malgré le coup de marteau, le râteau dans le front et la soupe renversée. Espérons qu'ils continueront de rire en voyant le programme d'entraînement que nous leur avons préparé.

Mardi soir, phase deux du projet LAMA. Thomas est resté chez lui. Je ne peux m'empêcher de penser à lui et à la discussion qu'il doit avoir avec ses parents concernant le secret de sa naissance. J'espère qu'il ne sera pas trop démoralisé demain.

J'installe mes parents devant un pichet rempli d'eau et deux verres vides, puis je leur demande quelles sont les sources de maladresse.

– L'eau, dit mon père.

– Le verre, déclare ma mère.

– Et quoi d'autre? Les imprévus. Si quelqu'un vous demande un verre d'eau, vous êtes préoccupés parce que vous devez le faire vite et bien, en plus de vous assurer que le verre est propre et l'eau, froide. Pendant que vous vous affairez, cette personne vous demande l'heure. Pourquoi lui répondre tout de suite? Versez l'eau, tendez-lui le verre et ensuite, dites-lui l'heure. Une chose à la fois.

Sur un grand carton, j'écris, en lettres multicolores:

> *Les TROIS buts de l'entraînement :*
>
> > *REPÉRER les sources de maladresses*
> >
> > *RÉFLÉCHIR avant d'agir*
> >
> > *RÉAGIR plutôt que subir*

Mes parents passent leur soirée à repérer, à réfléchir et à réagir. Les verres se renversent, l'eau se répand sur le plancher, nous rions comme des fous mais, à la fin, rien ne peut plus perturber mes parents. Ni l'heure, ni la température extérieure, ni les nouvelles du sport. RIEN. La deuxième manche est gagnée. Je leur recommande toutefois de continuer à s'entraîner sérieusement d'ici le prochain cours.

Le lendemain, à l'école, je cherche Thomas. Il n'assiste pas à ses deux cours du matin. Malade d'inquiétude, j'appelle chez lui à l'heure du dîner.

Pas de réponse. Je commence à douter de l'idée que j'ai eue de lui faire écrire cette lettre à ses parents. Et si j'avais déclenché des événements malheureux? Je touche à peine mon repas et reste près de la porte d'entrée à attendre mon copain. Deux minutes avant la cloche, je le vois enfin descendre de la voiture de ses parents. Il fait une drôle de tête, la bouche un peu de travers, le nez et l'œil enflés. Il essaie de sourire, mais je vois bien que quelque chose ne va pas. Devant mon air affolé, il ne peut retenir une grimace:

– Ve fors ve fé ve venfife.

– Quoi? Qui t'a mis dans un état pareil? Ton père? Il t'a battu?

– Ve venfife!

Et il ouvre sa bouche le plus grand possible en pointant son doigt sur un trou béant entre ses dents, à l'arrière.

– Ah ! LE DENTISTE !

– Fé fa ! Ve venfife ! conclue-t-il en affichant une nouvelle grimace, que je soupçonne être une tentative de sourire. Je renonce à lui en demander plus. Ma curiosité devra attendre que sa bouche reprenne sa forme normale. Comme nous n'avons pas cours ensemble l'après-midi, ce n'est que le soir qu'il pourra enfin me faire part du dénouement de son histoire.

Au souper, ma mère est tout heureuse de nous raconter l'événement de sa journée :

– Lorsque je suis entrée dans la salle de conférences pour porter un message à mon patron, tous les gens présents se sont tus et m'ont regardée. D'habitude, c'est suffisant pour me faire perdre mes moyens. Mais là, j'ai eu le temps de remarquer le câble d'ordinateur qui traînait sur le plancher et le pichet d'eau qui était posé sur le coin de la table, prêt à basculer. Eh bien, croyez-le ou non, j'ai enjambé le câble, remis le pichet à sa place, livré mon message et je suis ressortie sans la moindre maladresse. Mon patron est même venu me féliciter. Tu imagines, Isabelle, tout ça grâce à ton projet LAMA !

– Bravo, maman ! Tu es sur la bonne voie.

– Moi, reprend mon père, j'ai failli m'électrocuter aujourd'hui. La machine à café ne fonctionnait plus et on m'a demandé de la vérifier. Lorsque j'ai voulu la déconnecter, j'ai d'abord pensé à tes 3 R. Et là, j'ai remarqué que le fil électrique était dénudé et que j'avais les deux pieds… dans l'eau qui avait coulé de la cafetière. Merci au projet LAMA et à ta persévérance, ma grande. Est-ce qu'on peut continuer notre entraînement ce soir ?

– Demain, si vous voulez, car ce soir, je dois faire un travail avec Thomas.

– Je ne suis pas adopté, m'assure Thomas dès que la porte de ma chambre est refermée.

– Tu es sûr? Et ces papiers que tu as trouvés?

– En fait, cela n'a rien de bien compliqué, mais c'est un peu triste. Mes parents ont adopté un enfant, qui se prénommait Thomas, comme moi. Malheureusement, il était gravement malade et il est mort avant d'atteindre l'âge de deux ans. Cela les a beaucoup affectés. Entre-temps, ma mère est devenue enceinte et quand je suis né, ils m'ont donné le même nom: Thomas. C'est tout.

– Le même nom ? Tu crois vraiment ce que tes parents t'ont dit ?

– Au début, je n'y croyais pas. Mais ils m'ont montré le certificat de décès. Les dates concordaient : il était effectivement né deux ans avant moi et était décédé juste avant ma naissance. Ce matin, nous sommes allés au cimetière. C'est très émouvant de se retrouver face à une pierre tombale sur laquelle ton propre nom est écrit. J'ai dû me convaincre que c'est mon frère qui était là et pas moi.

Je passe mon bras autour de ses épaules pour le réconforter.

– Je te garantis que tu es bien vivant, toi! Et je suis soulagée que ton épreuve soit terminée. Maintenant, que dirais-tu de préparer le prochain entraînement de mes parents? Je crois que nous sommes sur la bonne voie, car ils font réellement des progrès, nos petits LAMA!

8

Le remplaçant

Enfin vendredi! À une heure de la fin des cours et de la fin de semaine, je suis épuisée, mais fière de tout ce que j'ai accompli. J'ai plus appris sur moi et sur les relations avec les autres en neuf jours qu'en toute une vie. J'avoue que ma vie est plutôt courte pour servir de référence, mais elle a été particulièrement épicée ces derniers temps! Tout compte fait, le plus important, c'est que ma relation avec mes parents s'améliore.

Le dernier cours est… enseignement moral. Ouille ! J'ai finalement rédigé une réponse à la question quatre du devoir de La Girouette. Je l'ai formulée ainsi :

« Mes parents sont gentils, mais tellement gentils qu'ils sont toujours gentils avec tout le monde, même si les autres ne sont pas gentils avec eux. »

– Réponse plutôt adroite, me dit Thomas. Précise, sans en dire trop. Finalement, c'est presque un compliment déguisé en défaut !

J'espère que ce sera suffisant et qu'elle cessera de me harceler. De toute façon, maintenant que mes parents suivent les entraînements LAMA, je ne me sens plus aussi embarrassée lorsqu'ils commettent des maladresses. Car, bien sûr, ils en commettent encore beaucoup, particulièrement lorsqu'ils sont fatigués, nerveux ou juste… inattentifs. Chassez le naturel et il revient au galop !

Je me dirige vers mon local de cours, un peu inquiète de revoir La Girouette. Lorsque j'entre dans la classe, je suis surprise d'apercevoir la directrice, madame Brisebois, en compagnie d'un inconnu. Plutôt beau garçon, une vingtaine d'années, le sourire craquant, sauf qu'il porte un affreux gilet jaune moutarde. Personne n'est parfait! En prenant place à côté de Thomas, je lui lance un regard interrogateur. Il hausse les épaules. Madame Brisebois attend le silence et déclare:

– Comme vous pouvez le voir, madame La Girou... Lanouette n'est pas parmi nous aujourd'hui. Elle traverse une période difficile et elle a décidé de prendre des vacances. Vous avez peut-être remarqué qu'elle n'allait pas très bien ces derniers jours, qu'elle était un tantinet... nerveuse. Elle tient à s'en excuser. Malgré tout, elle était inquiète de vous abandonner ainsi en milieu de trimestre, mais elle a été rassurée lorsque je lui ai présenté celui qui allait la remplacer: monsieur Alexandre Sigouin. Je suis certaine que vous allez apprécier votre nouveau professeur. Et surtout, ménagez-le un peu…

Pendant que la directrice sort de la classe, je pousse un soupir de soulagement. Ma terrible saga avec La Girouette se termine sur une bonne note, sans risque de nouvelles confrontations. En souriant, je déchire mentalement la copie de mon devoir. À ce moment, madame Brisebois passe la tête par la porte et lance:

– Oh, excusez-moi un instant, monsieur Sigouin. J'aimerais voir Isabelle Tremblay une minute. J'ai un petit mot à lui dire.

«Aïe, aïe, aïe!» pensai-je en me dirigeant vers la porte, recollant mentalement les pièces de mon devoir. Est-ce moi qui ai fait déborder la marmite? La Girouette malade À CAUSE DE MOI?

Les yeux rivés sur les tuiles du plancher, je referme la porte.

– Madame Lanouette a tenu à ce que je vous transmette un mot en particulier.

Comme je ne relève toujours pas la tête, elle pose sa main sur mon bras.

– Elle m'a avoué qu'elle regrettait d'avoir été aussi insistante et pas très gentille auprès de vous.

Je la regarde, surprise. Soulagée aussi.

– Remarquez qu'elle ne m'a pas dit de quoi il s'agissait, mais voilà, le message est transmis.

Je lui fais un grand sourire et pendant que j'ouvre la porte de la classe, j'entends:

– Il faut préciser que vos parents n'ont sûrement pas aidé votre cause...

L'éclair et le coup de tonnerre en même temps. Un crochet de la gauche en pleine figure. Le temps de me retourner, la directrice a déjà disparu. Je rentre dans la classe, sonnée. Malgré toutes les farces lancées par notre nouveau professeur, je suis incapable de sortir cette question de ma tête : «Mes parents ? Mais qu'est-ce que mes parents ont encore fait ? »

De retour à la maison, j'éclate :

– Qu'est-ce qui s'est passé à l'école ?

Mon père sursaute en se servant une portion de légumes. Les petits pois verts et ronds numéro un s'éparpillent allègrement sur la nappe.

– OUPS ! Désolé ! À l'école ? Qu'est-ce qui s'est passé à l'école ? C'est toi qui peux nous le dire. C'est ton école, après tout.

Je deviens rouge comme une écrevisse. Rouge de colère, on s'entend. Je précise :

– Avec la professeure de morale, madame Giroux-Lanouette. Que lui avez-vous dit ?

Mon père regarde le plafond, cherchant avec attention une toile d'araignée ou un petit pois écrasé. Ma mère le pousse du coude et dit :

– Charles, ne fais pas semblant d'ignorer la question. Oui, Isabelle, nous sommes allés à ton école. Pour nous assurer que ton entrée se passerait le mieux possible. Nous sommes conscients que ce n'est pas facile de changer d'école lorsque l'année scolaire est déjà entamée.

– Pourquoi ne pas me l'avoir dit ?

– On ne voulait pas que tu penses que nous te traitions en bébé.

C'est probablement ce que j'aurais pensé, en effet. Mais de quoi avaient-ils discuté pour qu'autant de tuiles me tombent sur la tête? À moins que ce ne soit pas ce qu'ils se sont dit, mais plutôt ce qu'ils ont fait... Comme pour confirmer mes soupçons, ma mère baisse la tête et commence à raconter:

– Nous étions assis bien tranquillement dans le bureau de la directrice, madame Brisebois. Nous discutions des règlements, des devoirs, de ce qu'elle attend des élèves. La popote, quoi. Madame Giroux-Lanouette est entrée à ce moment et la directrice l'a invitée à se joindre à nous. Elle a déposé son café sur la table, à côté de Charles.

– Ah! je comprends maintenant. C'est un classique: papa a heurté la tasse qui s'est renversée sur madame Giroux-Lanouette. Et toi, maman, tu as sorti ton rouleau de papier absorbant et tu as tout ramassé. Elle a dû croire que vous aviez fait exprès, c'est ça?

– Euh... le début, c'est à peu près cela. Mais ça s'est gâché après, ajoute mon père, plutôt mal à l'aise.

Je fronce les sourcils. Ma mère continue :

– En voulant tout ramasser, j'ai remarqué que son visage avait été passablement éclaboussé. J'ai... euh... j'ai nettoyé là aussi. Et son rimmel a... disons qu'il a coulé... un peu... beaucoup même !

Les épaules de ma mère se mettent à sauter. Elle cache sa figure dans ses mains. Pleure-t-elle ?

– Si tu avais vu ça, Isabelle, éclate mon père, incapable de se contenir plus longtemps, tu n'aurais pas pu t'empêcher de rire non plus. C'était tellement drôle ! Un vrai clown ! Charlie Chaplin n'avait qu'à aller se rhabiller !

– Franchement, vous n'avez aucun bon sens.

– Tu aurais ri, toi aussi, si tu avais été là. Même la directrice riait.

Je serre les dents. C'était donc ça. L'éternelle maladresse de mes parents. De mes incorrigibles parents. Mais cela voulait aussi dire que La Girouette savait, depuis le début, que mes parents étaient maladroits, terriblement maladroits. Et moi qui essayais de lui cacher la vérité. Aïe, aïe, aïe! Je leur annonce:

– Madame Giroux-Lanouette est en congé de maladie. Je ne suis pas certaine, mais je crois que c'est un peu de votre faute... de notre faute à tous.

– Oh! murmure ma mère, l'air visiblement désolée. Nous l'ignorions. Nous lui avons pourtant envoyé une lettre d'excuses avec une boîte de chocolats.

– Je crois que je vais lui en envoyer une, moi aussi. Je lui dois bien cela. Et nous allons devoir nous remettre à l'entraînement. Le projet LAMA n'est pas encore terminé.

Mon père regarde ma mère, qui lui fait un signe de tête. Il sort de la cuisine et revient bientôt avec une grosse boîte. Ma mère explique :

– Nous savons que ce n'est pas facile pour toi d'avoir des parents comme nous, mais je veux t'assurer que nous faisons notre possible pour nous améliorer. Alors, pour te remercier, nous t'offrons LAMA.

J'écarquille les yeux en voyant sortir de la boîte un chiot blond avec une énorme boucle rouge au cou.

– Voici ton LAMA, ma chouette. Et avec LAMA vient la promesse que nous ne le sortirons jamais lorsque nous peinturerons le cabanon !

Émue, je prends LAMA dans mes bras et le serre très fort. Après m'avoir léché le visage, le chiot se dégage et saute par terre. Il renifle un moment le sol, puis il part comme une flèche vers le salon, renversant au passage la fougère en pot et le porte-revues. Il termine sa course contre les pattes de la table basse, à moitié assommé.

Au travers du fou rire généralisé, je réussis enfin à articuler :

– Ah non, PITIÉ !

MOT SUR L'AUTEURE

Diane Bergeron est un être étrange, un croisement entre une scientifique, une mère de famille et une auteure de littérature jeunesse.  Drôle de mélange, pensez-vous? Ne la laissez pas trop longtemps en liberté, car elle vous embobinera avec les histoires qui pullulent dans sa tête. Et qui sait, peut-être fera-t-elle passer une de ses maladresses pour la découverte du siècle? Vous êtes prévenus!

Série Brad

Auteure : Johanne Mercier
Illustrateur : Christian Daigle

1. Le génie de la potiche
2. Le génie fait des vagues
3. Le génie perd la boule
   (printemps 2008)

www.legeniebrad.ca

Mes parents sont gentils mais...

1. Mes parents sont gentils mais...
   tellement menteurs!
   ANDRÉE-ANNE GRATTON

2. Mes parents sont gentils mais...
   tellement girouettes!
   ANDRÉE POULIN

3. Mes parents sont gentils mais...
   tellement maladroits!
   DIANE BERGERON

4. Mes parents sont gentils mais...
   tellement dépassés!
   DAVID LEMELIN

ILLUSTRATRICE : MAY ROUSSEAU

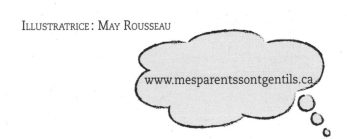

www.mesparentssontgentils.ca

Le Trio rigolo

AUTEURS ET PERSONNAGES :

JOHANNE MERCIER – LAURENCE

REYNALD CANTIN – YO

HÉLÈNE VACHON – DAPHNÉ

ILLUSTRATRICE : MAY ROUSSEAU

www.triorigolo.ca